Origami

PAPIROFLEXIA PARA CREAR Y DECORAR

Leonora Gari

EDITORIAL
ALBATROS

Coordinación general: **Florencia Nizzoli**

Edición: **Cecilia Repetti**

Supervisión de arte: **María Laura Martínez**

Corrección: **Carlos Nessi**

Producción periodística integral: **Marcela Luza**

Diseño: **M&A Diseño y Comunicación**

Proyectos: **Leonora Gari**

Ilustraciones: **Manuel Gari**

Producción fotográfica: **Leonora Gari**

Fotos: **Luciano Bacchi**

ORIGAMI
1ª edición - 5.000 ejemplares
Impreso en Latingráfica
Impreso en la Argentina
enero de 2008

Copyright © 2008 by EDITORIAL ALBATROS SACI
J. Salguero 2745 5º - 51 (1425)
Buenos Aires - República Argentina
E-mail: info@albatros.com.ar
www.albatros.com.ar

ISBN 978-950-24-1213-9

Gari, Leonora
    Origami-papiroflexia para crear y decorar. - 1a ed. - Buenos Aires:
Albatros, 2007.
    64 p. ; 19x26 cm. (arte decorativo)

    ISBN 978-950-24-1213-9

    1. Origami. I. Título
    CDD 736.982

¿QUÉ ES EL ORIGAMI?

El origami es el arte japonés del plegado de papel. El origen de la palabra proviene de los vocablos japoneses *oru*, que quiere decir "plegar", y *kami*, "papel". Es un pasatiempo fascinante en el que grandes y niños pueden hacer aparecer divertidos animalitos o espléndidas flores solamente con un pedazo de papel, con sus manos inquietas, y por supuesto, con muchas ganas de crear; así como han hecho los japoneses, desde la invención del papel.

Entre las virtudes del plegado de papel, se pueden mencionar varias, ya que ayuda a desarrollar la destreza y la precisión manual, a mejorar la concentración, es útil en la comprensión de la geometría y las matemáticas en general, fortalece la autoestima, incrementa la creatividad y genera momentos de diversión y esparcimiento.

El origami ha sido un *hobby* para mí durante años: me entretiene, me distrae y me ha ayudado a concentrarme. Los proyectos realizados en este libro son ideas básicas del origami que tienen muchas posibilidades de desarrollo. En las manos de cada lector está la posibilidad de cambiarlos, adaptarlos, mejorarlos y personalizarlos.

Deseo que disfruten tanto de este libro y de los proyectos que aquí les presento como yo disfruto haciendo origami.

Leonora Gari

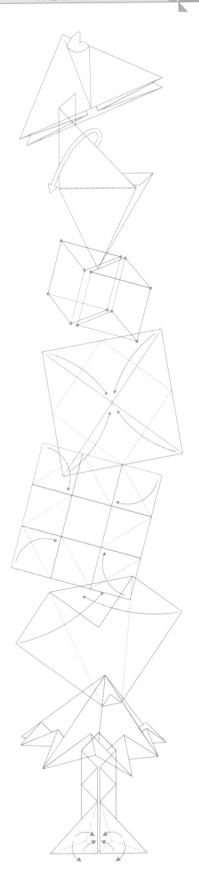

INTRODUCCIÓN

SUS ORÍGENES

El origen del arte del origami se remonta al llamado período Heian, que comprende los años 794 y 1183 en el Japón. Durante esa etapa, Japón rompe relaciones con China y cierra las puertas a todos los extranjeros. Los eventos culturales quedan en manos de las damas de honor, que con gran refinamiento y concentración hacen surgir los primeros plegados de origami.

Cerca del año 1000, Murasahi Shikibu escribe *La historia del Príncipe Genji*, en la que describe los magníficos tipos de papel en los que se redactaban las cartas de amor y las poesías. En su relato, Shikibu destaca particularmente la forma extraordinaria, significativa y delicada en que eran plegados los papeles. Quizás esta sea la primera referencia directa al origami, ya que en las cartas no sólo tenía importancia el contenido, la escritura o la elección del papel, sino también la forma del plegado, ya que era elegido según la ocasión o el contenido.

En cuanto a Occidente, si bien no se conoce la fecha exacta en la que aparece el origami, aparentemente Marco Polo lo habría introducido junto con el papel en el siglo XIII. Otros historiadores aseguran que sus orígenes, en realidad, se remontan a la invasión árabe en el siglo VIII, cuando trasladaban los prisioneros chinos a Samarcanda en el año 751. Los árabes aprendieron de los prisioneros a hacer y a doblar papel, inicialmente figuras clásicas simples, como por ejemplo animales. Desde que la religión musulmana prohibió la representación del ser humano y las formas animales en el arte por considerarla idolatría de imágenes, sus investigaciones se dirigieron al estudio de las formas geométricas y el estudio matemático de las líneas que quedan al doblar el papel. Después de que los árabes fueran expulsados de España, los españoles retomaron este arte e incorporaron formas que representaban la naturaleza. Llamaron al origami "papiroflexia" y le dieron un nuevo impulso.

Muchos años después, el pedagogo alemán Friedrich Fröbel (1782-1852) convencido de que el origami ayudaba a la enseñanza de los niños, incorporó su enseñanza en el jardín de infantes.

En América del Sur, quien introdujo el origami en la década de 1930, fue el escritor español Miguel de Unamuno, pionero en el mundo de la ciencia, quien se tomó en serio el hacer "pajaritas de papel" y publicó varios libros de plegado.

Actualmente, existen una infinidad de teoremas matemáticos y principios relacionados con el doblado de papel, muchos de los cuales han desarrollado nuevos conceptos, como por ejemplo en la topografía.

Hoy, el origami se practica en todo el mundo con verdadera pasión. Por eso el objetivo de este libro es lograr el entusiasmo de todos los que accedan a él.

LOS PROYECTOS DE ORIGAMI

Dentro del origami existen plegados simples que sirven de base para luego lanzarse a realizar proyectos un poco más complejos. Los animales desarrollados en este libro son un buen ejemplo de esto: ideales para niños y para principiantes.

Si bien hay algunos proyectos difíciles que requieren cierto grado de destreza y experiencia mayor, también existe una categoría —que no aparece en ningún libro— formada por aquellos diseños simples aunque laboriosos. Ocurre que, en líneas generales, el origami demanda trabajo. Requiere que nos sentemos, con-

PRACTICAR ORIGAMI

1. Ayuda a desarrollar la destreza, la exactitud y la precisión manual.

2. Mejora los niveles de concentración.

3. Es muy útil en la comprensión de la geometría y las matemáticas en general.

4. Permite desarrollar la creatividad.

5. Ayuda a medir el grado de coordinación entre lo real y lo abstracto.

6. Brinda momentos de esparcimiento y distracción.

7. Fortalece la autoestima a través de la elaboración de creaciones propias.

centremos la atención en el proyecto y dediquemos tiempo a su realización. Una vez que nos atrapa, el gran desafío es resolver un proyecto como si resolviéramos un acertijo. Llegar al final es secundario. Lo excitante es transitar el camino.

LA ELECCIÓN DEL PAPEL

1. Para elegir el papel hay que tener en cuenta el modelo que se desea realizar. Si el proyecto requiere muchos dobleces, un papel grueso supondrá dificultades al momento de plegar. Pero, en cambio, si el modelo elegido tiene pocos pliegues, un papel con mayor gramaje será el apropiado para que el proyecto terminado tenga buen cuerpo.

2. Es importante probar cada papel. La práctica será el secreto para encontrar el adecuado según cada modelo.

3. Se puede plegar cualquier papel que tengamos a mano: un billete, un boleto de subte (ideal para hacer modelos con técnica de 3D), papel madera, papel de regalo, etc. También podemos fabricar nuestros propios papeles, teñirlos o pintarlos.

4. Plegar papeles metalizados es una gran tentación, sin embargo, los resultados suelen ser desalentadores. El papel metalizado se quiebra en los dobleces y deja ver la base blanca que afea los proyectos.

5. Si les gusta el origami, les recomiendo que guarden papeles de diferentes tamaños y colores. Eso les permitirá hacer combinaciones originales.

ALGUNOS CONSEJOS ÚTILES

• Siempre conviene trabajar sobre la mesa para que los pliegues queden perfectos.
• Es fundamental que las manos estén limpias y libres de crema para no manchar el papel.
• Si necesitamos marcar con lápiz negro el papel antes de cortarlo, es importante que borremos las marcas antes de comenzar a plegar.
• Son fundamentales la prolijidad y la precisión al hacer los dobleces.
• Los principiantes deberán comenzar con proyectos de menor laboriosidad y plegar papeles de mayor tamaño, ya que es más fácil que con papeles pequeños.

DESCIFRANDO EL CÓDIGO

Todos los proyectos de este libro están acompañados de esquemas para facilitar el paso a paso. Es muy importante seguir al pie de la letra las indicaciones de los esquemas, ya que las líneas indican movimientos y direcciones precisos. Es común que, frente a la dificultad que representa el origami, los principiantes desconfíen de los esquemas. Todos han sido realizados, incluso por manos inexpertas. El tiempo, la paciencia y la concentración que se inviertan en el origami permitirán realizar todos los proyectos.

----------	**Pliegue del valle** *Al plegar, este queda hundido.*		**Plegar hacia atrás**
·-·-·-·-·	**Pliegue de montaña** *Al plegar, este queda levantado.*		**Sacar / Abrir**
	Dirección en la que el papel se desplaza		**Agrandar**
	Plegar y desplegar		**Plegar de punto a punto**
	Plegado hundido		**Repetir una vez**
---------	**Plegado elevado**		**Repetir tres veces**
---------	**Marca existente**		**Rotar**
....	**Plegado oculto**		**Doblez**
	Dar la vuelta al modelo		**Aplastar / Aplicar presión**
			Inflar soplando
			Cortar

Ranas saltarinas

Divertidísimas, estas ranas tienen movimiento y son muy simples. Una ranita dentro de una caja básica se convierte en un excelente souvenir de cumpleaños infantil.

Tipo de papel
Papel artesanal de 140 g

Medidas sugeridas
25 cm x 25 cm para dos ranas

Materiales
Ojos móviles
Pegamento escolar cristal

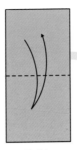

2 Doblar y
desdoblar.

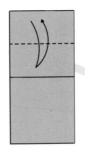

3 Doblar la parte
superior por la
mitad hacia
el centro
y desdoblar.

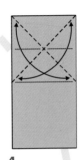

4
Doblar para
crear las
diagonales.

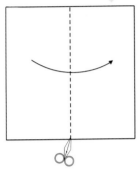

1 Doblar por la mitad
el papel y cortar por
la mitad. Quedan
dos rectángulos de
25 cm x 12,5 cm.

7 Doblar hacia
arriba.

6 Plegar hacia
arriba.

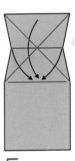

5 Doblar.

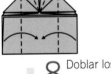

8 Doblar los dos
costados hacia
el centro.

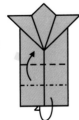

9 Doblar. Dar
vuelta y pegar
los ojitos
movibles.

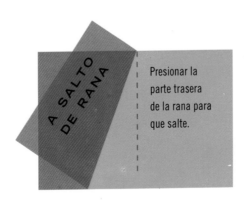

A SALTO
DE RANA

Presionar la
parte trasera
de la rana para
que salte.

Tipo de papel
Papel de 80 g rojo y dorado

Medidas sugeridas
8 cm x 8 cm

Estrella bicolor

Estas estrellas son hermosas para decorar ambientes. Si se hacen en tonos rojos, dorados o plateados son ideales para las fiestas. En diferentes tamaños y colores, pueden ser parte de un móvil divertido.

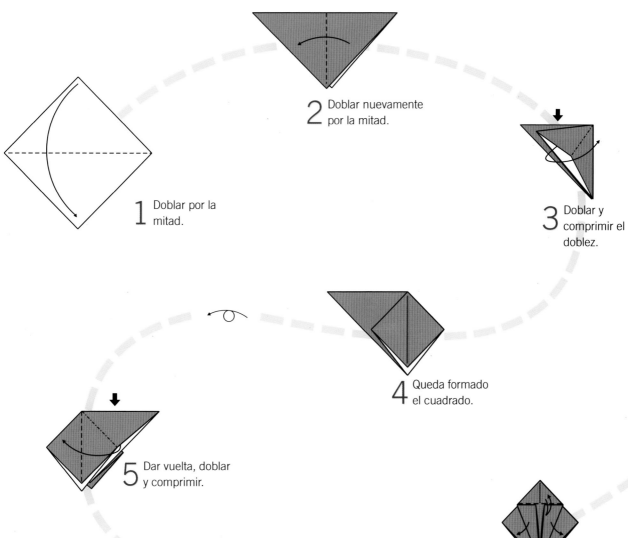

2 Doblar nuevamente por la mitad.

1 Doblar por la mitad.

3 Doblar y comprimir el doblez.

4 Queda formado el cuadrado.

5 Dar vuelta, doblar y comprimir.

6 Doblar hacia el centro.

7 Doblar el triángulo superior y desdoblar.

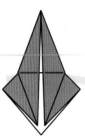

8 Subir el vértice hacia arriba.

9 Así queda formado el módulo. Repetir siete veces, en total ocho módulos.

10

Pegar el primer módulo al segundo. Unirlos por las solapas traseras. Pegar el tercero al segundo.

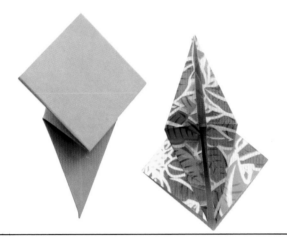

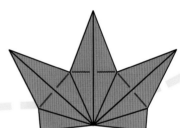

11 Seguir pegando los módulos hasta el octavo, que se pega con el primero.

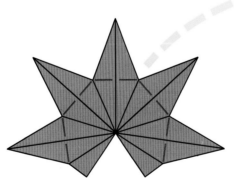

12 Dejar secar el pegamento. Dar vuelta para obtener la estrella terminada.

Ramo de flores

Impactante, este arreglo floral puede realizarse en una sola gama de colores
o con papeles multicolores. No hay que dejarse engañar por la simplicidad de sus formas.
Requiere esfuerzo, pero llegar al final será muy placentero.

Tipo de papel
Papel de 80 g color amarillo
de ambas caras

Medidas sugeridas
15 cm x 15 cm
se necesitan veinte cuadrados

Materiales
Alambre forrado mediano
  color verde
Pistola de pegamento en caliente
Papel de seda
Cinta de raso de 2,5 cm
  de ancho

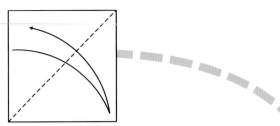

1 Doblar para marcar la diagonal y desdoblar.

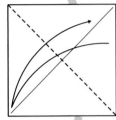

2 Doblar para marcar la diagonal y desdoblar.

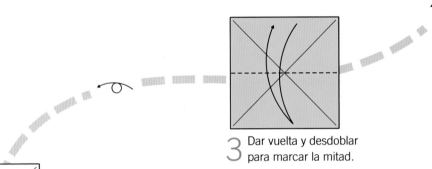

3 Dar vuelta y desdoblar para marcar la mitad.

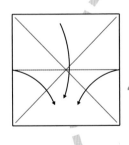

4 Doblar para formar la base.

5 Así queda formada la base.

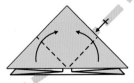

6 Doblar las puntas izquierda y derecha hasta el vértice superior.

9 Repetir con el lado opuesto.

10

Dar vuelta y hacer lo mismo en el otro lado.

8 Doblar hacia la derecha pasando un poco del centro.

7 Girar hacia la derecha.

11

Soplar por el agujero y luego presionar para formar la base. Luego abrir los cuatro pétalos empujando hacia fuera. La flor está terminada. Repetir el procedimiento con el resto de los papeles.

ARMADO DEL RAMO

Para el armado del ramo, cortar el alambre de 20 cm y pegar con pistola de pegamento en caliente a cada una de las flores. Atar todas las flores uniendo los alambres. Envolver con el papel de seda y terminar con un moño realizado con la cinta de raso.

Caja simple

Es el abecé de las cajas de origami, ideal para aquellos que recién comienzan a plegar. Puede ser un buen envoltorio para regalar anillos, pulseras o aros.

Tipo de papel
Papel ilustración liso
de 120 g

Medidas sugeridas
Para el cuerpo:
18 cm x 18 cm
Para la tapa:
12,5 cm x 12,5 cm

Caja

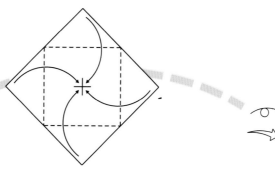

2 Doblar las esquinas hacia el centro. Dar vuelta.

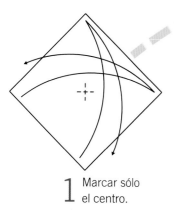

1 Marcar sólo el centro.

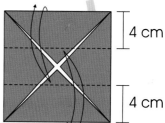

3 Doblar 4 cm y desdoblar.

4 cm

4 cm

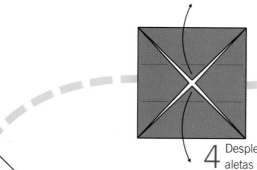

4 Desplegar las aletas superior e inferior.

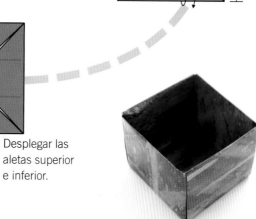

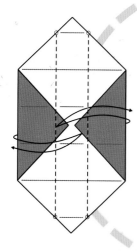

5 Doblar 4 cm. Observar en el diseño que deben coincidir las líneas. En el diagrama se representan con un círculo.

6 Realizar el doblez de las esquinas. Doblar los laterales hacia arriba.

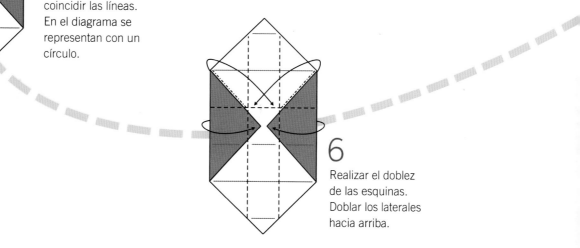

7

Plegar la aleta formada hacia el interior de la caja.

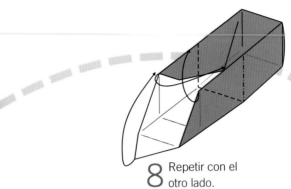

8 Repetir con el otro lado.

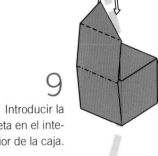

9

Introducir la aleta en el interior de la caja.

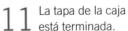

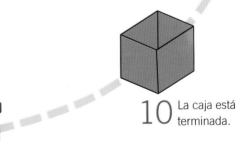

10 La caja está terminada.

11 La tapa de la caja está terminada.

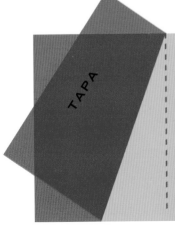

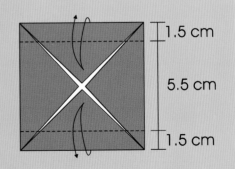

TAPA

Plegar el cuadrado de 12,5 cm x 12,5 cm, como se explica en los pasos 1, 2 y 3.

Marcar hacia adentro 1,5 cm y desdoblar. Repetir en el lado opuesto.

Repetir con las dos caras restantes de igual manera que en los pasos 5 y 6, pero con las medidas dadas para la tapa. Así queda armada la tapa.

Decoración: rellenar el interior de la caja con papel de seda, terminar con una flor.

1.5 cm

5.5 cm

1.5 cm

Esfera triangular

Esta esfera con módulos queda preciosa. Resulta muy atractiva si se hace combinando un papel liso para el triángulo con uno estampado para el módulo de unión. De este modo, es evidente el trabajo de plegado.

Tipo de papel
Papel de 140 g

Medidas sugeridas
Utilizar la medida del papel A4, que debe dividirse en ocho partes. Cortar las tiras, que se convertirán en los módulos de la esfera.

1 Tomar dos de las tiras para comenzar el trabajo.

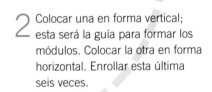

2 Colocar una en forma vertical; esta será la guía para formar los módulos. Colocar la otra en forma horizontal. Enrollar esta última seis veces.

3 Desenrollar y cortar el excedente. Quedan marcados seis cuadrados.

4 Enrollar la tira formando el triángulo que es el módulo.

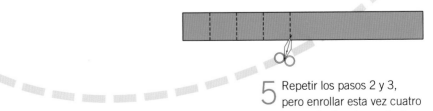

5 Repetir los pasos 2 y 3, pero enrollar esta vez cuatro veces. Cortar el excedente. Quedan marcados cuatro cuadrados.

8 Introducir el módulo de unión dentro de los dos triángulos. Como se ve en el diagrama, bajar las aletas hacia adentro.

9 Debe quedar como se ve en el diagrama.

7 Poner juntos dos de los triángulos. Dejar el final del papel hacia adentro.

10 Poner el tercer triángulo y ubicar el módulo de unión uniendo el segundo con el tercero. Bajar las aletas. Repetir hasta el último triángulo que se debe unir con el primero.

6 Así queda realizado el módulo de unión.

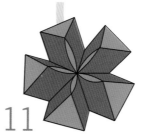

11 Ahora el anillo está terminado. Seguir uniendo los módulos triangulares para formar la esfera. Deben quedar cinco triángulos unidos para formar el primer anillo. **Total:** veinticinco triángulos y veinticinco módulos de unión.

Caja de cuatro modúlos

Tipo de papel
Papel floreado de 80 g, cuatro
cuadrados
Papel liso de 90 g, cuatro
cuadrados

Medidas sugeridas
20 cm x 20 cm

Este plegado clásico sirve de puntapié inicial para otros proyectos de mayor desarrollo. Jugar con los colores de base y tapa es una de las tantas opciones para variar el diseño.

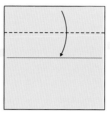

2 Doblar hasta la mitad.

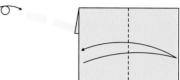

3 Dar vuelta. Doblar por la mitad y desdoblar.

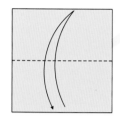

1 Doblar por la mitad y desdoblar.

4 Dar vuelta y marcar la diagonal en el lado derecho.

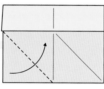

5 Marcar la diagonal en el lado izquierdo.

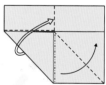

6 Subir la esquina izquierda hacia el centro y el centro hacia el borde superior.

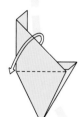

7 Bajar la aleta que queda levantada. Así se forma el primer modulo. Repetir para formar los cuatro módulos.

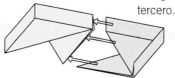

8 Para armar, encastrar el segundo módulo al primero, el tercero al segundo y el cuarto al tercero.

9 Módulo terminado. Repetir todo el procedimiento con el papel floreado.

Tipo de papel
Papel de 80 g color naranja

Medidas sugeridas
15 cm x 15 cm

Iris clásico

**Una flor básica se convierte en centro de mesa, pero también podría ser
un ramo, una esfera o una guirnalda para la primavera. Un proyecto para disfrutar
desde el principio al fin.**

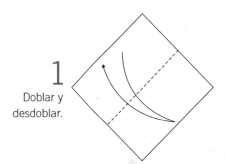

1
Doblar y
desdoblar.

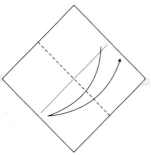

2 Doblar y desdoblar.
Dar vuelta.

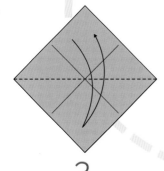

3
Doblar y desdoblar.
Dar vuelta.

4 Doblar llevando el vértice
superior al inferior, rebatir
los vértices izquierdo y
derecho al inferior.

6 Así queda formado el cuadrado de base.

5 Unir los cuatro vértices.

7 Doblar y desdoblar.

8 Doblar hacia el centro y presionar.

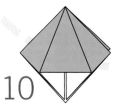

9 Abrir el doblez.

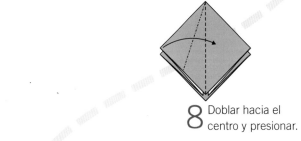

10 Repetir desde el paso 7 al 9 en las tres aletas.

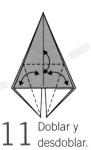

11 Doblar y desdoblar.

16 Doblar la aleta hacia la derecha.

15

Doblar todos los triángulos hacia abajo. Rotar el módulo.

17

Doblar ambos lados hacia el centro.

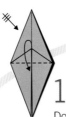

14 Repetir los pasos desde el 11 al 13 en los tres lados restantes.

18

Repetir los pasos desde el 16 al 18 en los tres lados restantes.

13 Presionar para acomodar los pliegues.

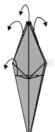

19 Queda formado el cuerpo de la flor.

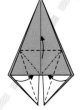

12

Abrir la capa superior y doblar hacia arriba al mismo tiempo.

20 Abrir las cuatro aletas hacia abajo para dar forma al iris. Se puede enrollar el pétalo en un lápiz para que quede con más movimiento.

CENTRO DE MESA

Poner en un recipiente transparente sal gruesa, y sobre esta, gemas de vidrio. Ubicar las flores sobre la superficie antes preparada.

Sobres

Para guardar compact-discs, cartas, dinero, etc.
Estos sobres son un buen comienzo para los
principiantes.
El atractivo del papel elegido es fundamental
para que el proyecto se luzca.

Tipo de papel
Papel de regalo de 80 g con
rosas, papel felpa, dorado, etc.

Medidas sugeridas
20 cm x 20 cm

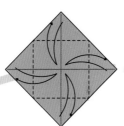

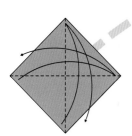

1 Doblar y desdoblar las diagonales.

2 Doblar las esquinas hacia el centro, desdoblar.

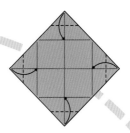

3 Doblar los vértices hasta la marca.

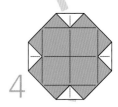

4 Dar vuelta.

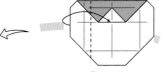

6 Repetir.

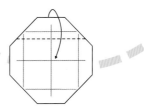

5 Doblar hasta el centro.

7 Doblar nuevamente.

8 Desdoblar el último doblez.

9 Plegar la esquina hacia adentro para formar el sobre.

SOBRE DORADO

Para realizar el sobre con dorado en el interior, juntar los dos papeles y realizar el plegado con los dos juntos, esta vez, sin pegarlos.

10 Aquí se observa el sobre terminado.

Tipo de papel
Papel de 140 g o 160 g

Medidas sugeridas
7 cm x 7 cm, 11 unidades

Materiales
Palito de brochette

Esfera con rulos

Pequeña, mediana o grande, esta esfera no tiene desperdicio. Realizada en un solo color luce igualmente bella. Es conveniente elegir un papel grueso para que los rulos conserven todo el esplendor de su forma.

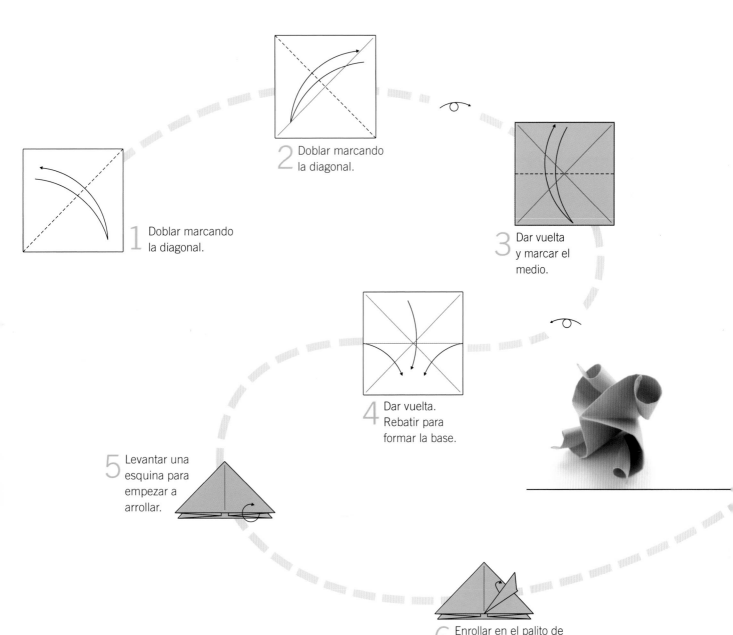

1 Doblar marcando la diagonal.

2 Doblar marcando la diagonal.

3 Dar vuelta y marcar el medio.

4 Dar vuelta. Rebatir para formar la base.

5 Levantar una esquina para empezar a arrollar.

6 Enrollar en el palito de brochette y presionar para que quede el rulo formado.

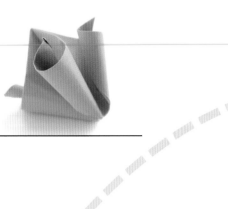

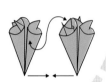

8 El módulo está terminado.

7 Repetir el paso anterior en las cuatro esquinas.

9 Unir un módulo con el otro, según el diagrama. Se pueden combinar dos, tres, cuatro y todos los rulos que querramos. Seguir uniendo así los diez módulos restantes para formar la esfera con rulos multicolor.

10 Dos módulos unidos.

11 Unir el tercero con los dos anteriores.

Tulipán con tallo

Tipo de papel

Papel de 80 g verde manzana, verde oscuro, naranja, amarillo, etc.

Medidas sugeridas

12 cm x 12 cm
Realizar la flor y el tallo con la misma medida de papel.

Materiales

Pegamento
Maceta
Oasis o esponja floral
Tulipán

Esta bonita flor es un clásico del origami. Por sus múltiples plegados simples, conviene comenzar por este proyecto y lanzarse a hacer otros cuando la mano de quien pliega tenga más destreza.

Flor

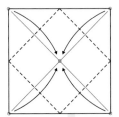

1 Doblar los extremos hacia el centro.

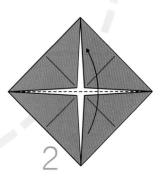

2 Llevar el vértice del cuadrado hacia el vértice opuesto.

3 Doblar nuevamente.

4 Comprimir.

5 Así queda formado el cuadrado.

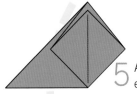

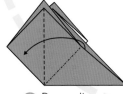

6 Dar vuelta y repetir.

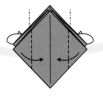

7 Doblar hacia el centro. Dar vuelta y repetir.

8 En los pliegues formados, marcar y doblar hacia adentro.

9 Abrir para formar el tulipán. Perforar en la base para luego pegar la hoja realizada.

Tallo y hoja

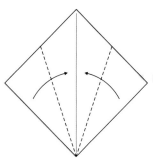

1 Doblar las esquinas hacia el centro.

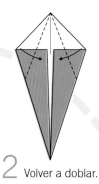

2 Volver a doblar.

3 Doblar según el diagrama.

5 Doblar por la mitad.

4 Llevar el extremo inferior al lado opuesto.

6 Separar para formar el tallo y la hoja.

7 Así queda formada la base, lugar donde se pega el tulipán.

8 El tulipán con su tallo está terminado.

TULIPÁN EN MACETA

Pegar la punta del tallo a la base de la flor. Rellenar el interior de la maceta con oasis o esponja floral ejerciendo una leve presión para que quede bien firme. Sobre este, "clavar" la base de la hoja. El oasis o esponja floral se puede tapar con musgo sintético, perlas transparentes, papel de seda, papel picado, etc.

Tipo de papel
Papel de 140 g de colores
azul y amarillo oro

Medidas sugeridas
30 cm x 30 cm

Materiales
Cinta con arabescos azules

Envoltorio con cintas

Un contenedor de líneas depuradas y clásicas permite que en su interior se guarden corbatas, pañuelos, manualidades o distintos regalos. Una de las claves del éxito de este proyecto es la elección de un papel de buena calidad.

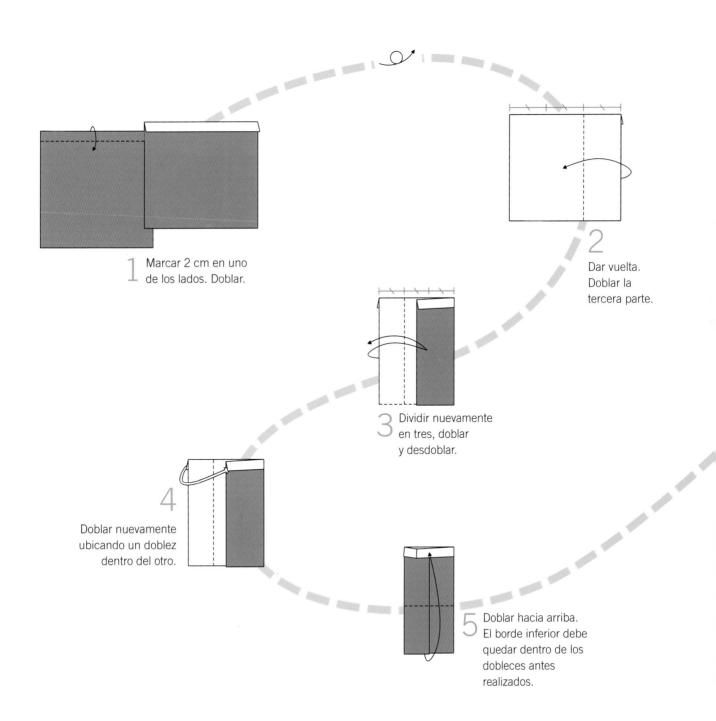

1 Marcar 2 cm en uno de los lados. Doblar.

2 Dar vuelta. Doblar la tercera parte.

3 Dividir nuevamente en tres, doblar y desdoblar.

4 Doblar nuevamente ubicando un doblez dentro del otro.

5 Doblar hacia arriba. El borde inferior debe quedar dentro de los dobleces antes realizados.

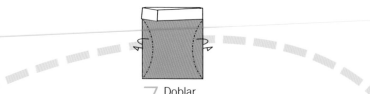

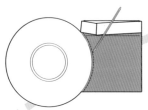

7 Doblar
respetando
el punteado.

6 Marcar con un punzón
de ambos lados (atrás y
adelante) un
semicírculo. Realizarlo
con la ayuda de un
disco compacto o una
copa.

8 Ejercer
presión.

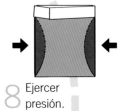

9 Doblar en la abertura
superior según
el punteado.

10 El modelo está
terminado.

TERMINACIÓN

Con la ayuda de una
perforadora de escritorio,
realizar agujeros en la
parte superior. Por los
dos orificios pasar una
cinta y cerrar con un
moño.

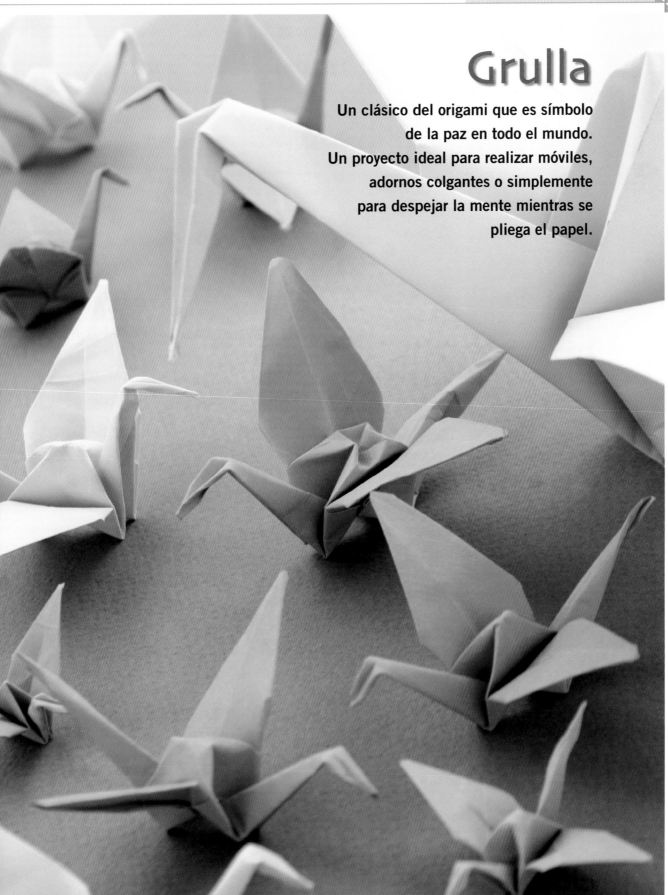

Grulla

Un clásico del origami que es símbolo de la paz en todo el mundo. Un proyecto ideal para realizar móviles, adornos colgantes o simplemente para despejar la mente mientras se pliega el papel.

Tipo de papel
Papel de 80 g variedad
de colores

Medidas sugeridas
10 cm x 10 cm, 20 cm
x 20 cm, etc.

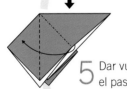

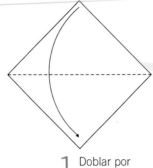

1 Doblar por
la mitad.

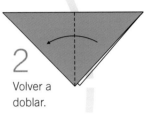

2 Volver a
doblar.

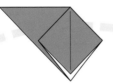

4 Así queda formado
el cuadrado.

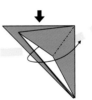

3 Doblar respetando la
indicación del pliegue,
comprimir para formar
el cuadrado.

5 Dar vuelta y repetir
el paso 3.

7 Marcar y abrir
los dobleces.

6 Doblar hacia
el centro.

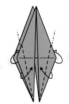

10 Queda formada la base de la grulla. Plegar según el diagrama.

11 Doblar las dos puntas hacia arriba para marcar. Desdoblar. Abrir cada parte y subir la punta para formar la cabeza. Repetir con la otra para formar la cola.

9 Repetir los pasos 7 al 9 en el otro lado.

8 Levantar el vértice hacia arriba para formar el ala.

13 Tirar de las alas. Así queda formada la grulla.

12 En la parte de la cabeza, quebrar la punta según el diseño para formar el pico.

SUGERENCIAS DE DECORACIÓN

Realizar grullas en diferentes tamaños y colores, y colocarlas sobre una mesa, a modo de adorno. Otra opción es colgarlas de un cordón y colocarlas en una ventana, delante de las cortinas.

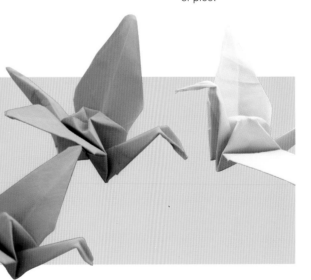

Tipo de papel
Papel de 80 g color turquesa

Medidas sugeridas
12 cm x 12 cm
Se necesitan sesenta cuadrados.

Materiales
Pegamento escolar cristal
Cinta dorada
Borla de seda y cuenta de vidrio

Esfera kusudama

**Este proyecto despierta suspiros. En la ventana de una sala, en una puerta
o colgado del techo, lucirá todo el esplendor de la forma, el color y el plegado.
Vale la pena intentarlo.**

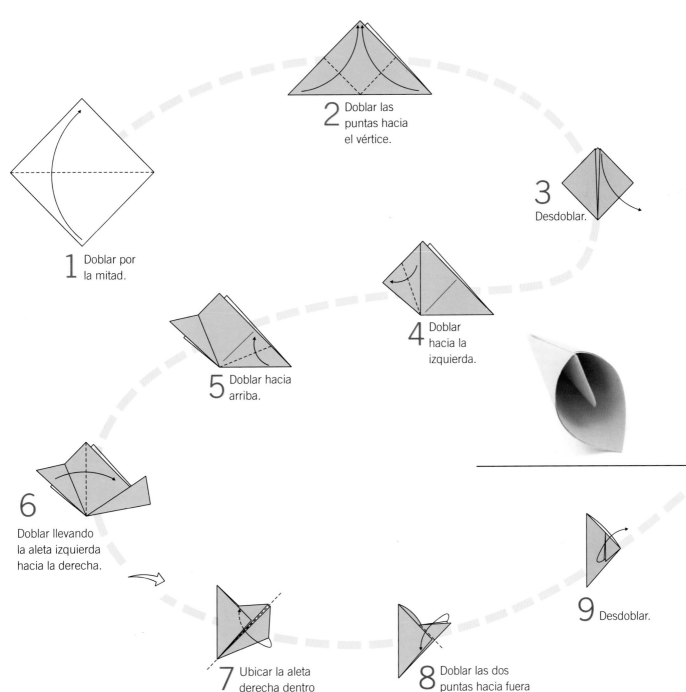

2 Doblar las puntas hacia el vértice.

3 Desdoblar.

1 Doblar por la mitad.

4 Doblar hacia la izquierda.

5 Doblar hacia arriba.

6 Doblar llevando la aleta izquierda hacia la derecha.

7 Ubicar la aleta derecha dentro de la izquierda.

8 Doblar las dos puntas hacia fuera para marcar.

9 Desdoblar.

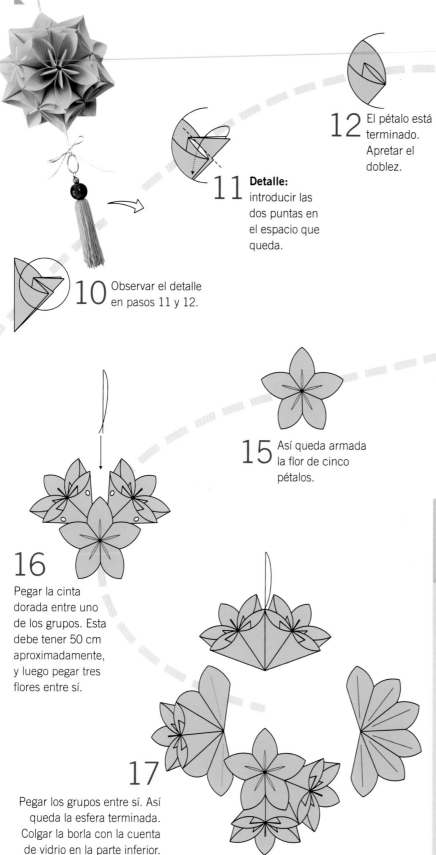

12 El pétalo está terminado. Apretar el doblez.

PEGAR

13

Para armar los módulos aplicar pegamento donde se indica.

11 **Detalle:** introducir las dos puntas en el espacio que queda.

10 Observar el detalle en pasos 11 y 12.

14 Pegar cada pétalo para formar la flor. No colocar mucha cantidad de pegamento, sólo lo necesario. Se pueden usar clips para sostener hasta que seque.

15 Así queda armada la flor de cinco pétalos.

16 Pegar la cinta dorada entre uno de los grupos. Esta debe tener 50 cm aproximadamente, y luego pegar tres flores entre sí.

17 Pegar los grupos entre sí. Así queda la esfera terminada. Colgar la borla con la cuenta de vidrio en la parte inferior.

KUSUDAMA

Kusu: del japonés *kusuri* (medicina) y *dama* (bola).
Es otra manera de hacer origami con varios módulos de papel (dos o tres piezas de papel repetidas hasta más de cien veces) que pueden ir de lo más simple a lo más complejo dependiendo del número de piezas que compongan la pieza.
Originariamente fueron utilizadas para contener incienso y otros olores. En la actualidad, se utilizan para decorar ambientes.

Ramo de hortensias

La hortensia es la flor de origami más simple, pero no por eso, menos atractiva. Este delicado ramito permitirá agruparlas y convertirlas en un bonito regalo para mamá: toda una muestra de dedicación y cariño.

Flor

Tipo de papel
Papel calco de color rosa
y verde

Medidas sugeridas
Para la flor y las hojas: 7 cm
x 7 cm

Materiales
Alambre
Cinta de raso

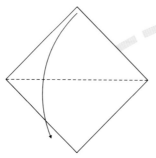

1 Doblar por la diagonal.

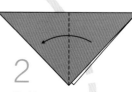

2 Doblar por la mitad.

3 Doblar respetando la indicación del pliegue y comprimir para formar el cuadro.

4 Así queda formado el cuadrado.

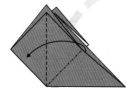

5 Dar vuelta y repetir el paso 3.

8 Doblar hacia el centro. Repetir en el lado posterior.

6 La esquina abierta debe quedar hacia arriba.

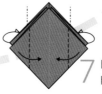

7 Doblar los vértices hacia adentro, repetir en el lado posterior.

11 Abrir los pétalos hacia fuera.

10 Repetir en el lado posterior.

12 Ahora la flor está terminada.

9 Doblar.

Hoja

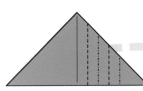

1 Dividir el cuadrado por la mitad y cortar para formar dos triángulos. Doblar cada mitad en forma de zig zag respetando el diseño. Plegar.

2 Doblar las aletas según el diseño.

3 Desplegar la parte superior para formar la hoja.

RAMO

Cortar el alambre de 15 cm. Enrollar un extremo en un palillo para formar un espiral. Pasar el otro extremo del alambre por adentro de la flor. Poner pegamento en la base de la flor para sostener. Pegar un alambre en la hoja. Unir las flores y las hojas, y atar con una cinta de raso. Terminar con un moño.

Caja acordeón

Un contenedor ideal para corbatas, cinturones, ropa interior u objetos pequeños. La elección del papel es clave para lograr pliegues prolijos y un resultado de buen gusto.

Tipo de papel
Papel con diseño de 120 g
Papel liso de 120 g

Medidas sugeridas
Para el cuerpo: cuatro
de 15 cm x 15 cm
Para la tapa: dos de
17 cm x 17 cm

Cuerpo

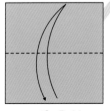

1 Doblar y desdoblar.

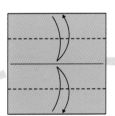

2 Doblar hacia el centro y desdoblar. Dar vuelta.

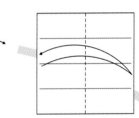

3 Doblar igual que en los pasos 1 y 2.

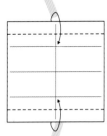

4 Doblar el borde hacia la marca.

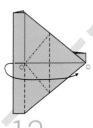

5 Doblar por la mitad.

6 Doblar hacia atrás.

7 Realizar el pliegue y luego llevar hacia arriba.

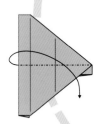

8 Desdoblar y volver a la posición anterior.

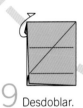

9 Desdoblar.

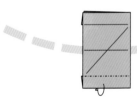

10 Doblar hacia atrás la parte inferior.

11 Marcar el doblez y abrir.

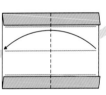

12 Doblar y desdoblar para marcar.

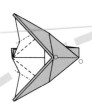

13 Doblar nuevamente.

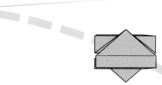

14 Terminar de plegar y girar los dobleces hacia abajo.

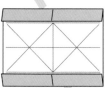

15 Aquí se ve el módulo terminado. Desdoblarlo.

16 Repetir desde el paso 1 al 15, cuatro veces.

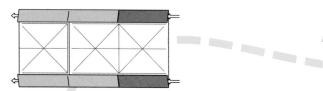

18 El tercero dentro del segundo, el cuarto dentro del tercero.

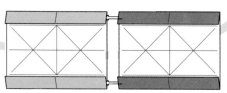

17 Para armar, encastrar un módulo dentro del otro, el segundo dentro del primero.

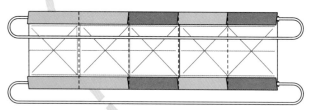

19 Para cerrar la caja, encastrar el cuarto dentro del primero.

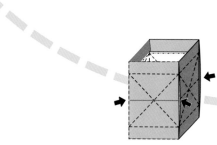

20 Acomodar los pliegues para acentuar el fuelle realizado, ejerciendo una leve presión.

21 El cuerpo está terminado.

Tapa y base

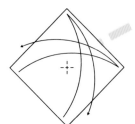

1 Doblar y desdoblar para sólo marcar el centro.

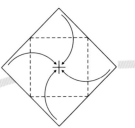

2 Llevar las puntas hacia el centro.

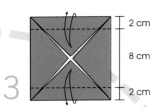

2 cm
8 cm
2 cm

3 Marcar 2 cm del borde hacia el centro. Repetir esta marca en el lado opuesto. Doblar y desdoblar. Quedan 8 cm centrales.

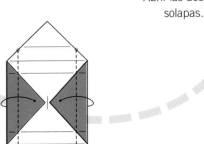

4 Abrir las dos solapas.

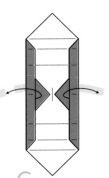

6 Desdoblar.

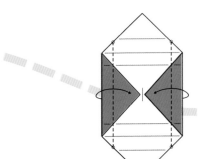

5 Doblar 2 cm hacia adentro.

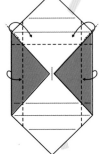

7 Doblar las esquinas y los lados.

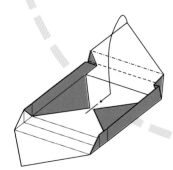

8 Doblar las solapas hacia el centro.

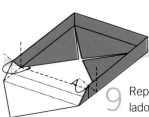

9 Repetir en el lado opuesto.

10 Tapa realizada. Repetir para formar la base y unir el cuerpo a la misma. Ubicar la tapa en la parte superior.

Tipo de papel
Papel de 80 g colores verde,
rojo con algún motivo
navideño y dorado

Medidas sugeridas
A verde 15 cm x 15 cm
B rojo de 12 cm x 12 cm
C verde de 10 cm x 10 cm
D dorado de 4 cm x 4 cm
(estrella)

Arbolito de Navidad

Se puede armar del tamaño que quieras: grande para adornar la casa o chico, para regalar a cada uno de los invitados a la fiesta. Cuanto más vistoso sea el papel que elijas más llamativo resultará.

Arbolito

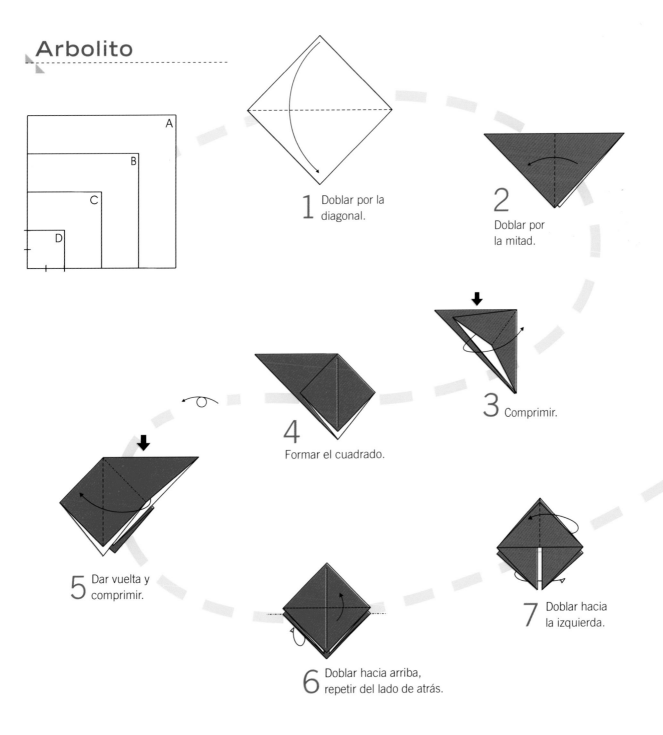

1 Doblar por la diagonal.

2 Doblar por la mitad.

3 Comprimir.

4 Formar el cuadrado.

5 Dar vuelta y comprimir.

6 Doblar hacia arriba, repetir del lado de atrás.

7 Doblar hacia la izquierda.

9 Plegar según el punteado.

8 Doblar hacia arriba.

10 Repetir el paso anterior en todas las solapas.

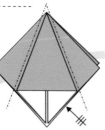

11 Plegar para formar el árbol.

Estrella

2 Repetir en todos los lados restantes.

3 Girar para formar la estrella. Pegarla en la parte superior del árbol.

1 Doblar como en el paso 1 hasta el 5. Repetir el plegado en todos los lados.

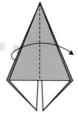

SUGERENCIA

Este árbol se puede realizar en un tamaño mayor. En ese caso es recomendable usar papel de 160 g.

Rosca

Un motivo especial para cualquier tipo de celebración.
El mismo proyecto realizado en un tamaño
más pequeño puede utilizarse como servilletero.

Tipo de papel
Papel de regalo, dos motivos
diferentes, uno con rayas
y otro con pequeñas flores

Medidas sugeridas
15 cm x 15 cm
Se necesitan dieciséis
cuadrados, ocho de un color
y ocho del otro

Materiales
Pegamento escolar cristal
Cinta dorada
Borla de seda y cuenta
de vidrio

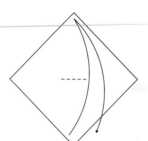

1 Doblar y marcar sólo el centro.

2 Doblar y marcar.

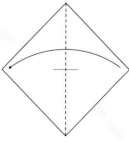

3 Doblar y desdoblar.

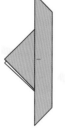

5 Dar vuelta.

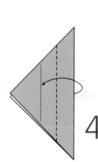

4 Doblar hasta la marca realizada en el paso 3.

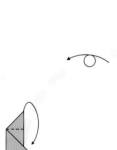

6 Doblar las puntas hacia adentro.

7 Doblar el extremo hasta el punto indicado.

8 Desdoblar.

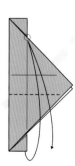

9 Repetir con el otro extremo. Desdoblar.

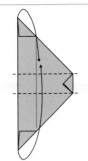

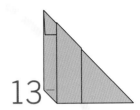

12 Doblar las dos aletas formadas.

13

El módulo queda formado así.

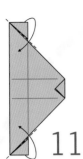

11

Doblar las esquinas hacia adentro.

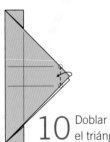

10 Doblar hacia adentro el triángulo formado.

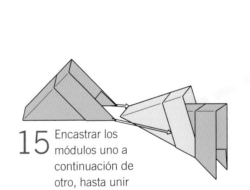

14

Repetir estos pasos dieciséis veces.

15 Encastrar los módulos uno a continuación de otro, hasta unir el último con el primero.

SUGERENCIA DE PAPEL

Los papeles brillosos se resbalan, por lo tanto, es necesario pegar los módulos entre sí. En cambio, si el papel elegido es rugoso, este paso no es necesario.

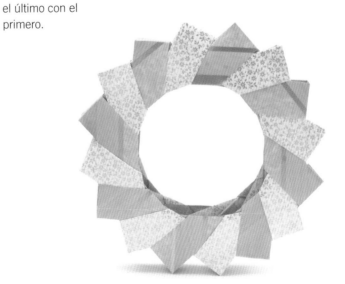

Tipo de papel
Papel de 80 g de color rojo
en las dos caras
Papel de 80 g color negro

Medidas sugeridas
20 cm x 20 cm. Para las vaquitas
chicas, cortar el papel en
cuatro partes iguales

Materiales
Pegamento en barra
Perforadora

Vaquita de San Antonio

Un proyecto ideal para que los niños comiencen con los plegados más simples y logren un bonito resultado, clásico con poco esfuerzo. Recién ahí estarán listos para intentar otro diseño de mayor dificultad.

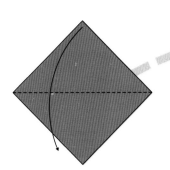

1 Doblar para formar un triángulo.

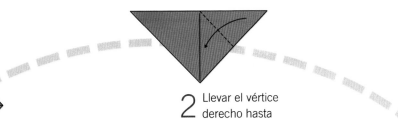

2 Llevar el vértice derecho hasta casi el centro.

3 Repetir con el lado opuesto.

5 Doblar el lado derecho y el izquierdo hacia atrás, y la punta inferior hacia atrás también.

4 Plegar y volver a plegar para formar la cabeza.

6 Realizar un doblez en el centro.

LUNARES Y OJOS

Para los lunares del cuerpo, cortar círculos en papel negro de 2,5 cm y 1 cm de diámetro.

Para los ojos, realizar círculos con papel negro, con una perforadora para papel. Pegarlos con pegamento en barra. Otra opción es hacer los lunares con una plantilla para realizar círculos de distintos tamaños. Marcar utilizando un marcador, y sin sacar la plantilla, rellenar. Algunos marcadores se corren sobre el papel. Verificar siempre que esto no suceda antes de trabajar sobre el proyecto terminado.

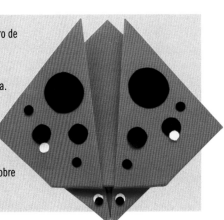

Tipo de papel
Papel de 80 g color rosa
oscuro y rosa claro

Medidas sugeridas
20 cm x 20 cm
17 cm x 17 cm
14 cm x 14 cm
11 cm x 11 cm
8 cm x 8 cm
5 cm x 5 cm

Rosa

**Lindísima por donde se la mire y mucho más fácil de lo que parece.
Un proyecto que permite jugar con los colores, las texturas y los tamaños
de los papeles. Para no perdérselo.**

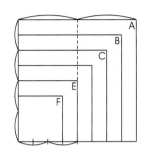

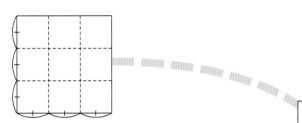

1 Doblar el primer cuadrado, dividiéndolo en tres, para formar nueve cuadrados.

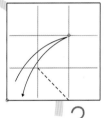

2 Doblar el vértice hasta el punto indicado y sólo marcar donde indica el esquema. Desdoblar.

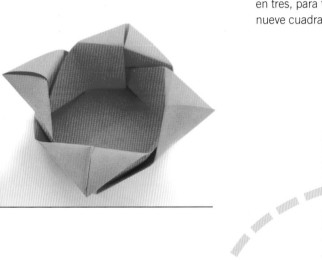

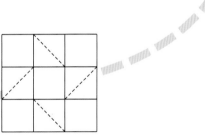

3 Repetir el paso 2 en los tres lados restantes.

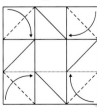

4 Doblar las esquinas.

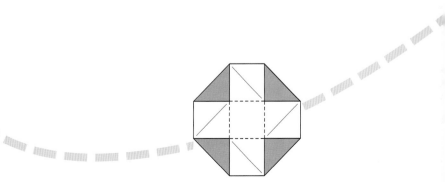

5 Marcar el cuadrado central.

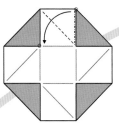

6 Marcar y luego plegar.

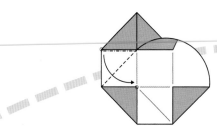

7 Repetir en el siguiente.

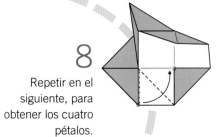

8 Repetir en el siguiente, para obtener los cuatro pétalos.

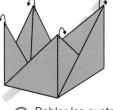

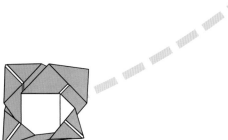

9 Doblar las cuatro puntas hacia afuera ejerciendo una leve presión.

10 Así queda formado el primer módulo de esta rosa. Proceder igual con el resto de los cuadrados.

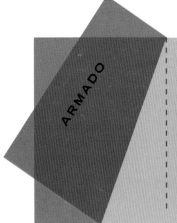

ARMADO

Para armar, ubicar el segundo módulo dentro del primero. Ubicar los pétalos del segundo módulo intercalándolos para que no queden todas las puntas en la misma posición. El tercero dentro del segundo, el cuarto dentro del tercero, el quinto dentro del cuarto y el sexto dentro del quinto. La rosa está terminada.

Elefante

Una trompa larga completa este elefante
de patas rayadas. Especial para decorar
una tarjeta o el paquete de un regalo.

Cuerpo

Tipo de papel
Papel de 140 g color gris
para el cuerpo
Papel de 80 g con rayas de
colores para el cuerpo (el
revés del papel debe ser de
otro color)

Medidas sugeridas
15 cm x 15 cm

Materiales
Ojos móviles
Pegamento escolar cristal

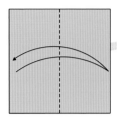

1 Doblar y
desdoblar.

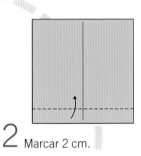

2 Marcar 2 cm.

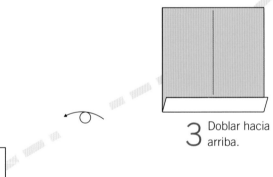

3 Doblar hacia
arriba.

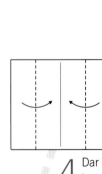

4 Dar vuelta y doblar
los costados hacia
el centro.

5 Doblar las
puntas hacia
adentro.

6 Cuerpo
terminado.

Cabeza

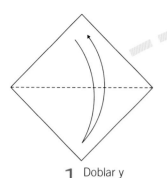

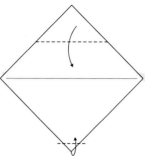

1 Doblar y desdoblar.

2 Doblar el vértice superior hasta el centro y el inferior sólo en la punta.

3 Doblar cruzado.

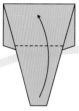

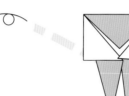

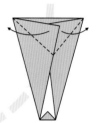

6 Doblar casi hasta arriba.

5 Formar las oreja vuelt

4 Doblar para formar las orejas.

7 Doblar hacia abajo y luego hacia arriba para formar las arrugas de la trompa.

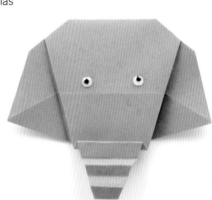

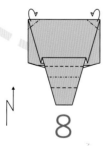

8

Doblar las esquinas superiores hacia atrás. Doblar los dobleces realizados en la trompa para generar el plegado. Pegar los ojos movibles en la cara del elefante. Pegar la cabeza al cuerpo.

SUGERENCIAS

Realizar dos cortes en la parte superior del cuerpo (donde se pega la cabeza), para usar como tarjeta de invitación de cumpleaños.

Para obtener papel de dos colores, cortar dos papeles del mismo tamaño. Uno liso y el otro con rayas. Aplicar pegamento en barra sobre las superficies y pegar, luego presionar para que no queden globos. Dejar secar antes de utilizar.

ÍNDICE